LES

DRAGOUILLES

LES BLEUES DE TORONTO

MAXIM CYR & KARINE GOTTOT

LES DRAGOUILLES

LES BLEUES DE TORONTO

16

ÉDITIONS
MICHEL
QUINTIN

Mot des auteurs

Max: Est-ce qu'on prend une pause ? Je ne sens plus mes pieds.

Karine: Ah oui? Pourtant, moi je les sens bien tes pieds… même un peu trop. Mais tu as raison, on n'a pas arrêté de marcher de toute la journée. Je me suis même fait des ampoules.

Max: Tu n'es cependant pas une lumière!

Karine: Gna! gna! Ha! ha! ha! Non, mais c'est une bonne idée de s'arrêter un peu pour contempler le majestueux lac Ontario. C'est si beau en fin de journée lorsque le soleil s'apprête à disparaître.

Max: C'est quand même incroyable tout ce qu'il y a à voir à Toronto.

Karine: Heureusement que les dragouilles sont là pour nous raconter leurs découvertes.

Max: Parlant de dragouilles, je pense que je viens d'en apercevoir une là-bas.

Karine: Où ça?!?

Max: Juste là. Devant le derrière du bâtiment, à gauche de la cheminée droite, juste au-dessus de la gouttière, mais sous la bouche d'aération.

Karine: Pourrais-tu essayer d'être moins clair?

Max: …

Devenez accros à Toronto !

- Max et Karine -

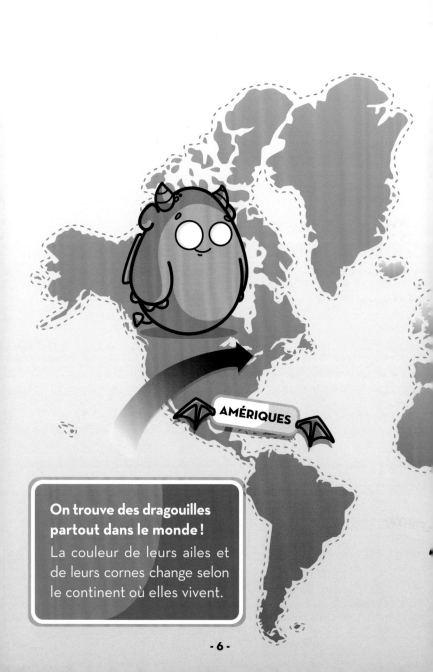

AMÉRIQUES

On trouve des dragouilles partout dans le monde !

La couleur de leurs ailes et de leurs cornes change selon le continent où elles vivent.

VOICI LES GRIBOUILLES QUE TU VAS RENCONTRER :

LES JUMEAUX

Les jumeaux se croient les pros des jeux de mots. Pourtant, ils sont souvent les seuls à se trouver rigolos !

L'ARTISTE

C'est la plus créative de la bande. Elle dessine partout, même sur sa voisine !

LA BRANCHÉE

Voici la dragouille ultra-tendance. Tellement branchée qu'elle électrise tout sur son passage.

LA GEEK

Cette dragouille a hérité d'un petit extra de neurones entre les deux oreilles. À elle seule, elle fait remonter la moyenne du groupe !

LE CUISTOT

Cette dragouille à toque sait cuisiner bien plus que du *peameal bacon* ! Pâté d'anchois à la sauce poubelle, ça te dit ?

LA REBELLE

La rebelle est la dragouille casse-cou et casse-tout. Elle ne craint rien ni personne. C'est une sacrée friponne !

Nous, on aime le tram... ouais !

Les bleues

Te voici chez les dragouilles bleues de Toronto, la plus grande ville du Canada.

Tu découvriras bientôt qu'il est possible de se promener à Toronto tout en ayant l'impression de faire le tour du monde. Ne va pas croire que les Torontois ont inventé une potion qui leur permet d'être à plusieurs endroits à la fois. Non! Même le sirop d'érable n'y est pour rien. Cela s'explique plutôt par le fait que les habitants de cette ville proviennent d'un nombre impressionnant de cultures différentes. C'est ce qui la rend aussi captivante.

Dépêche-toi de monter à bord du tramway. Pour ne rien manquer, il te faudra avoir des yeux tout le tour du nez!

LES JUMEAUX

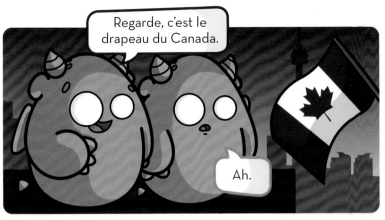

Ville monde

TU RÊVES DE FAIRE LE TOUR DU MONDE POUR DÉCOUVRIR DIFFÉRENTES CULTURES ? FACILE ! IL SUFFIT D'ALLER TE BALADER À TORONTO.

La capitale ontarienne est une des villes les plus multiculturelles du monde. La moitié des Torontois sont nés à l'extérieur du Canada.

ÇA S'ENTEND !

Les deux langues officielles du Canada sont l'anglais et le français. Cependant, tes oreilles devront se pincer pour le croire, car plus de 140 langues différentes sont parlées à Toronto tous les jours.

ÇA SE VOIT !

Toronto est une véritable mosaïque de quartiers aux couleurs et aux ambiances diverses. Dépaysement assuré ! Par exemple, il n'y a pas qu'un quartier chinois (Chinatown), mais trois ! Tu pourras aussi découvrir la Petite Italie (Little Italy), la Petite Inde (Little India), le quartier grec (Greektown) et bien d'autres.

ÇA SE DÉGUSTE !

Profite de ton passage dans ces quartiers pour déguster des mets traditionnels ou pour découvrir dans les marchés des fruits et légumes que tu ne connais pas.

TORONQUOI ?

Le nom Toronto viendrait possiblement du mot mohawk *tkaronto* qui signifie « là où des arbres se dressent dans l'eau ». Les Mohawks et d'autres peuples autochtones utilisaient ce terme pour désigner l'endroit où ils plantaient les piquets de leurs pièges à poissons.

Comme plusieurs villes dans le monde, Toronto a aussi certains surnoms. En voici quelques-uns :

LA VILLE REINE

Cette expression surtout employée par les francophones fait référence à l'essor important qu'a connu Toronto pendant le règne de la reine Victoria d'Angleterre. Une rue (Queen Street), un parc (Queen's Park) et un collège (Victoria College) ont aussi été nommés en son honneur.

T-DOT

Cette expression qui existait déjà a été popularisée par la culture hip-hop. C'est une version abrégée de T.O. (Toronto, Ontario). Les deux points ont été remplacés par *dot* qui signifie « point » en anglais, et le O de Ontario a été supprimé.

HOGTOWN, « VILLE DU PORC »

Ce drôle de surnom rappelle la présence à Toronto, à une certaine époque, de la William Davies Company qui transformait des millions de porcs chaque année.

Canada, eh?

SI TU ENTRES DANS UN MAGASIN DE SOUVENIRS, TU TE DEMANDERAS SANS DOUTE POURQUOI IL EST ÉCRIT «CANADA, EH!» SUR DES T-SHIRTS OU DES TASSES À CAFÉ.

Cela fait référence, avec humour, au fait que bon nombre de Canadiens anglais disent le mot «eh!» à la fin de leurs phrases. C'est un peu comme lorsqu'on dit «hein» en français.

Selon l'intonation, ce «eh!» signifie plusieurs choses différentes. Il peut être employé quand on veut demander à quelqu'un de répéter ce qu'il vient de dire ou lorsqu'on veut donner un ordre, raconter une histoire, exprimer une opinion, inciter son interlocuteur à répondre ou marquer un temps d'arrêt entre deux phrases.

LES DRAGOUILLES, IT'S NICE, EH !
(LES DRAGOUILLES, C'EST CHOUETTE, EH !)

YOU REALLY ARE A BIG POTATO, EH !
(TU ES VRAIMENT UNE GROSSE PATATE, EH !)

EAT YOUR POTATOES, EH !
(MANGE TES PATATES, EH !)

THANKS, EH !
(MERCI, EH !)

I KNOW, EH !
(JE SAIS, EH !)

I LOVE THIS BOOK, EH !
(J'AIME CE LIVRE, EH !)

Évidemment, les jumeaux et les autres
dragouilles adorent ça. Et en abusent, eh !

L'artiste

Ahhh ! J'aurais tellement aimé avoir le pouce vert !

Oh, merci ! Tu réalises mon rêve !

LA RUE VERS L'ART

QUE DIRAIS-TU D'ALLER FAIRE UN TOUR DANS UNE GALERIE D'ART À CIEL OUVERT ? MAIS NE CHERCHE PAS LA PORTE POUR Y ENTRER, IL N'Y EN A PAS !

Graffiti Alley est une ruelle longue d'environ 1 km, située dans le Fashion District. Dans cette galerie d'art à ciel ouvert, les murs des bâtiments font office de toiles. Tu pourras y contempler de véritables fresques réalisées par de talentueux artistes de rue.

Graffiti Alley se trouve au sud de Queen Street West, entre Portland Street et Spadina Avenue. Cette ruelle colorée n'est pas facile à trouver, ce qui en plus procure l'agréable impression d'avoir un trésor à dénicher.

BESOIN D'UN PETIT CÂLIN ?

Poursuis ta promenade et rends-toi du côté nord de Queen Street West, près du coin de Peter Street. Te voilà devant le *Hug Me Tree*, une œuvre d'art urbaine amusante et très réconfortante puisqu'elle t'invite à lui faire un câlin.

Cette souche d'arbre a été peinte pour la première fois en 1999 par Elicser Elliott qui est aujourd'hui un des artistes de rue les plus connus de Toronto.

En 2008, c'est la catastrophe : les racines du *Hug Me Tree* se rompent et celui-ci s'étale de tout son long sur le trottoir. Stupeur et consternation dans le quartier ! Heureusement, après avoir passé environ une année dans une galerie d'art, le revoici à sa place, où il trône fièrement grâce à un support de métal qui devrait le préserver d'une autre mauvaise chute.

Le *Hug Me Tree* accepte gentiment de se faire prendre en photo en ta compagnie, mais il attend surtout que tu lui fasses un beau câlin.

À L'AFFICHE

L'industrie du cinéma est très importante à Toronto. Bon nombre de films et d'émissions de télévision y sont tournés chaque année. Pas étonnant qu'on surnomme la ville le « Hollywood du Nord ».

C'est aussi à Toronto que se tient en septembre le plus grand festival de films ouvert au public dans le monde. Le TIFF (Toronto International Film Festival) présente en moyenne 300 films provenant d'une soixantaine de pays. Les enfants sont eux aussi invités à participer à ce grand événement. Le TIFF Kids offre une programmation diversifiée de films canadiens et étrangers.

FAIS TON CINÉMA

APPRENDS UNE BLAGUE DRAGOUILLANTE PAR CŒUR.
Lorsque tu seras prêt à la raconter à voix haute, demande à quelqu'un de te filmer avec un téléphone intelligent. Voici maintenant comment fabriquer un projecteur qui te permettra de projeter ta vidéo sur le mur de ta chambre.

IL TE FAUT :

- Une boîte à chaussures d'une longueur d'environ 30 cm
- Un morceau de carton
- Un rouleau vide de papier essuie-tout
- Une loupe d'un diamètre d'environ 8 cm
- De la pâte adhésive
- Du ruban adhésif
- Un crayon
- Une règle
- Une paire de ciseaux

1 Au centre d'un des plus petits côtés de la boîte, dessine un cercle de 8 cm de diamètre et découpe-le.

2 Fixe la loupe à l'intérieur de ce trou avec de la pâte ou du ruban adhésif.

3 Trace un cercle d'un diamètre de 4 cm sur le côté opposé de la boîte et découpe-le.

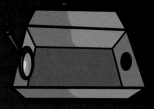

4 Sur le morceau de carton, trace et découpe un rectangle aux dimensions légèrement inférieures à celles des côtés les plus petits de la boîte, pour qu'il puisse y être inséré. Accroche maintenant le rouleau vide au milieu de ce morceau de carton avec du ruban adhésif. De l'autre côté du carton, fixe ensuite le dos du téléphone intelligent avec la pâte adhésive.

5 Désactive la rotation automatique de l'image. Insère le rouleau dans le trou depuis l'intérieur de la boîte. L'image qui est sur l'écran du téléphone doit être à l'envers.

6 Installe ta boîte devant un mur pâle et uni, puis démarre ta vidéo.

POUR FAIRE LA MISE AU POINT :

Règle la luminosité de l'écran du téléphone intelligent à « maximum ». Avance ou recule le rouleau pour faire la mise au point (tu peux aussi avancer ou reculer la boîte). Bon cinéma !

L'artiste tient à remercier le Torontois Norman Breakey
pour avoir conçu, en 1940, le premier rouleau à peindre.
FALLAIT Y PENSER!

La branchée

Les Blue Jays de Toronto sont la seule équipe canadienne de la Ligue majeure de baseball. Ils ont remporté la Série mondiale deux années de suite, soit en 1992 et en 1993.

Si tu es de passage à Toronto, ne rate pas une occasion d'aller les voir jouer au Rogers Centre.

Chausse qui peut !

Boîte à Chaussures

C'EST AU MUSÉE DE LA CHAUSSURE DE TORONTO QUE TU AURAS ENFIN LE MONDE À TES PIEDS.

Le Bata Shoe Museum a fait des pieds et des mains pour rassembler une collection époustouflante de 13 000 artéfacts qui couvrent 4 500 ans d'histoire de la chaussure. Même l'architecture du bâtiment puise son inspiration dans une boîte à chaussures.

Les hommes préhistoriques ont confectionné les premiers souliers dans le but de se protéger les pieds des blessures et de les garder au sec et au chaud. Par la suite, à travers les âges et les civilisations, l'extravagance des chaussures est devenue un bon indicateur du rang social. En d'autres mots, les riches et les pauvres n'étaient pas chaussés de la même façon. Nul besoin de te dire qu'alors, le confort était loin d'être la priorité.

Par exemple, à l'époque gothique, les chaussures étaient extrêmement longues et pointues. Le roi anglais Édouard IV avait même proclamé une loi qui définissait la longueur de la pointe des chaussures selon la richesse et le rang social de la personne qui les portait.

Au temps du roi de France Louis XIV, les talons hauts représentaient la richesse et le style. Même les hommes et les enfants en portaient. D'ailleurs, seuls les gens chaussés de talons hauts rouges étaient admis à la cour du roi.

La religion et les différentes croyances ont aussi influencé le style des chaussures. Par exemple, au début du XXe siècle, les enfants chinois portaient des chaussures décorées avec des dragons ou autres symboles censés les protéger.

Certains souliers ont été créés pour travailler ou pour améliorer nos performances. Au musée, tu auras la chance de voir une paire de bottes conçue pour marcher sur la Lune et des chaussures à pics qui servaient à écraser des châtaignes.

Plusieurs célébrités ont donné leurs chaussures au musée. Tu pourras voir celles d'Adam Sandler, du dalaï-lama et de Justin Bieber. C'est le pied, non?

SUR LE CARREAU

Avec ses bottes, ses jeans et sa veste à carreaux, il donne l'impression de sortir du fin fond des bois alors qu'il habite en plein centre-ville, et tu te demandes ce qui lui arrive ?

Voici une liste de caractéristiques qui te permettront de poser le bon diagnostic :

Sa barbe est très longue, c'est à se demander s'il ne va pas finir par marcher dessus.

Si tu fouilles dans son sac, tu risques davantage de tomber sur une tablette numérique ou un téléphone intelligent que sur une hache.

Il ne cherche pas à être élégant, mais ses cheveux sont bien peignés et même parfois laqués.

Son appartement est décoré comme s'il vivait dans un chalet rustique.

Il passe volontiers la soirée devant la télé à regarder une vidéo de faux feu de foyer.

Il ne cuisine pas, mais il préfère les plats cuisinés maison. Trouve l'erreur...

Il collectionne les rondins de bois.

Tu l'as déjà surpris en train de texter un orignal.

Je bûche,
tu bûches, il bûche,
nous BÛCHERONS !

TON FRÈRE A PLUSIEURS DE CES SYMPTÔMES ?

Nous t'annonçons qu'il est un parfait spécimen de « bûcheron urbain super tendance ». Ce style a vu le jour en Amérique du Nord, mais ne cesse de prendre de l'ampleur partout dans le monde.

Vive Toront'eau !

TORONTO PLAGE

AUSSI SURPRENANT QUE CELA PUISSE PARAÎTRE, TORONTO EST L'ENDROIT IDÉAL POUR PRENDRE UN BAIN DE SOLEIL.

Les Torontois sont nombreux à profiter de la dizaine de plages qui bordent les rives du majestueux lac Ontario. Il existe même un quartier nommé « The Beaches » ou « The Beach » où trois magnifiques plages sont reliées par une passerelle en bois, longue de 4 km.

LES COUPS DE CŒUR, EUH... DE SOLEIL DE LA BRANCHÉE

Les deux plages préférées de la branchée se situent près du centre-ville de Toronto. On ne peut pas s'y baigner, mais elles valent absolument le détour.

HTO PARK

Imagine ! Construire de beaux châteaux de sable et n'avoir qu'à lever les yeux pour admirer la Tour CN. Voilà une expérience pour le moins... inusitée.

SUGAR BEACH

Le sable n'a pas été remplacé par du sucre comme pourrait le laisser croire le nom de cette plage ! Sugar Beach a été nommée ainsi parce qu'elle est située à proximité de l'usine de sucre Redpath. Par ailleurs, la couleur du sable choisi pour cet aménagement ressemble à celle du sucre brut.

Des rochers rayés rouge et blanc aux allures de bonbons géants ainsi que de jolis parasols roses donnent à l'endroit des airs de confiserie en plein air. Des effluves sucrés qui proviennent de l'usine planent même parfois dans l'air. Les immenses bateaux qui arrivent et repartent de la sucrerie offrent un spectacle captivant.

TORONTO LES ÎLES

Après les plages, les îles. Oui, oui ! Tu lis toujours une chronique à propos de Toronto. Non, non ! Nous ne sommes pas tombés sur le coco.

Il ne suffit que de 10 minutes en traversier à partir du centre-ville pour se rendre dans l'archipel de Toronto. Vélo, randonnée, pique-nique, baignade et patin font partie des activités auxquelles tu pourras t'adonner sans être dérangé par des voitures. Comme c'est apaisant !

Il y a des gens qui habitent sur les îles à longueur d'année. Sur une d'entre elles, il y a même une école primaire !

La geek

Devinettes

1) **QUEL SUPERHÉROS JOUE LE MIEUX AU BASEBALL ?**

2) **QU'ONT EN COMMUN UNE POMME DE TERRE ET UN JOUEUR DE BASEBALL ?**

3) **POURQUOI LES MILLE-PATTES NE JOUENT-ILS PAS AU HOCKEY ?**

4) **QUELLE EST LA DIFFÉRENCE ENTRE UN GARDIEN DE BUT ET UN AUTOBUS ?**

5) **POURQUOI LES POISSONS N'AIMENT-ILS PAS LE HOCKEY ?**

6) **QUELLE EST LA FAÇON LA PLUS FACILE POUR UN JOUEUR DE HOCKEY D'AVOIR LA COUPE ?**

7) **QUEL EST LE COMBLE DU MALHEUR POUR UN JOUEUR DE HOCKEY ?**

8) **DE QUELLE FAÇON LES JOUEURS DE HOCKEY COUPENT-ILS TOUJOURS LES CAROTTES ?**

1) BATMAN (BATTE-MAN) 2) TOUS LES DEUX SE TROUVENT DANS LE CHAMP 3) PARCE QUE ÇA LEUR COÛTERAIT TROP CHER DE PATINS 4) AUCUNE, LES DEUX FONT DES ARRÊTS 5) PARCE QU'ILS ONT PEUR DES FILETS 6) ALLER CHEZ LE COIFFEUR 7) MANQUER DE BUTS DANS LA VIE 8) EN RONDELLES

OÙ SUIS-JE ?

TE VOILÀ MAINTENANT AU CROISEMENT DES RUES YONGE ET DUNDAS, SUR UNE PLACE PUBLIQUE OÙ RÈGNE UNE JOYEUSE FRÉNÉSIE.

C'est le Dundas Square. Ne t'inquiète pas si tes yeux ne savent plus où donner de la tête devant les énormes panneaux publicitaires et les écrans géants qui le bordent.

Si tu as la soudaine impression d'avoir été parachuté d'un seul coup chez les dragouilles bleues de New York, c'est normal. Le Dundas Square est souvent considéré comme étant le Times Square de Toronto.

Tout au long de l'année se succèdent, dans ce lieu illuminé du soir au matin, des concerts, des festivals, des projections de films et de nombreux événements de toutes sortes.

UNE MERVEILLE

IL Y A QUELQUE CHOSE DE VRAIMENT É**TOUR**DISSANT DANS LE CIEL DE TORONTO.

Il s'agit bien évidemment de la Tour CN, le symbole le plus connu de la ville de Toronto et du Canada tout entier. Ce chef-d'œuvre architectural culmine dans le ciel à une hauteur de 553,33 m et fait partie des sept merveilles du monde moderne.

La Tour CN a été construite par le Canadien National, une importante compagnie de chemins de fer. Pas moins de 1 537 personnes ont travaillé sans relâche sur cet ambitieux projet. Au bout de 40 mois de dur labeur, la tour a reçu ses premiers visiteurs, le 26 juin 1976. Aujourd'hui, près de 1, 5 million de personnes la visitent chaque année.

PRÊT POUR L'ASCENSION ?

LE PLANCHER DE VERRE À 342 M (112 ÉTAGES)

Ici, tu peux marcher à deux ou à quatre pattes ou même t'allonger sur le premier plancher de verre au monde. Chair de patate garantie ! Ne crains pas d'être trop lourd, car ce plancher est incassable. Il pourrait supporter le poids de 14 hippopotames adultes.

Au même niveau se trouve la terrasse d'observation extérieure sur laquelle il est possible de te faire sécher les dents au gré du vent et d'entendre la ville grouiller sous tes pieds.

LE BELVÉDÈRE À 346 M (113 ÉTAGES)

L'ascenseur te mènera du rez-de-chaussée au belvédère en 58 secondes top chrono. Une splendide vue panoramique sur Toronto et le lac Ontario t'y attend.

LE RESTAURANT 360 À 351 M (114 ÉTAGES)

Déguster un bon repas dans un restaurant est toujours agréable, mais quand en plus celui-ci tourne... ça vaut carrément le déTOUR! Le Restaurant 360 effectue une rotation complète en 72 minutes.

L'HAUT-DA CIEUX À 356 M (116 ÉTAGES)

Il s'agit de la plus haute promenade à mains libres au monde. En groupe de six, retenus à un rail de sécurité, les amateurs de sensations fortes marchent sur une étroite corniche qui fait le tour de l'habitacle principal de la Tour CN. Poules mouillées, s'abstenir!

LA NACELLE À 447 M (147 ÉTAGES)

Tu en veux toujours plus? Aucun problème! Emprunte l'ascenseur spécial qui te mènera à la nacelle (SkyPod). De cette hauteur, tu pourrais même apercevoir la ville de Niagara Falls.

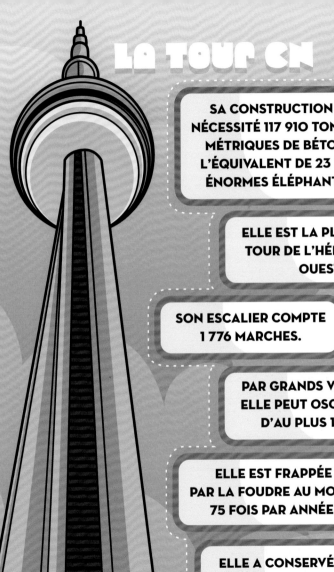

LA TOUR CN

SA CONSTRUCTION A NÉCESSITÉ 117 910 TONNES MÉTRIQUES DE BÉTON, L'ÉQUIVALENT DE 23 214 ÉNORMES ÉLÉPHANTS.

ELLE EST LA PLUS HAUTE TOUR DE L'HÉMISPHÈRE OUEST.

SON ESCALIER COMPTE 1 776 MARCHES.

PAR GRANDS VENTS, ELLE PEUT OSCILLER D'AU PLUS 1 M.

ELLE EST FRAPPÉE PAR LA FOUDRE AU MOINS 75 FOIS PAR ANNÉE.

ELLE A CONSERVÉ LE TITRE DE LA TOUR AUTOPORTANTE LA PLUS HAUTE DU MONDE PENDANT TROIS DÉCENNIES.

FAITS ÉTONNANTS

Le puits hexagonal creux de la tour s'étire sur plus de 365,7 m. On a pu y expérimenter des choses très sérieuses ; y établir, par exemple, le record mondial de la plus haute chute d'œuf.

Une capsule contenant des souvenirs de la journée historique de l'inauguration a été cachée dans les murs de la tour, au niveau du belvédère. Elle sera ouverte en 2076.

En 1975, les Torontois ont pu regarder un hélicoptère-grue Sikorsky poser la dernière section de l'antenne, au sommet de la tour.

En 1979, le cascadeur Dar Robinson a exécuté un saut en parachute à partir du toit du belvédère pour le tournage du film *Highpoint*. Il a aussi effectué une descente en rappel pour l'émission de télévision *That's Incredible*.

En 1988, deux deltaplanes ont décollé du toit du belvédère et atterri à l'aéroport situé sur les îles de Toronto.

Chaque année, des milliers de personnes participent à des campagnes de financement en gravissant toutes les marches de la tour.

Rends-toi sur le site web officiel de la Tour CN. Une amusante application te permettra de calculer combien il faut de « toi » pour atteindre le sommet. Tu y trouveras aussi une carte de la ville te révélant où sont les meilleurs endroits pour photographier la tour.

Charade

MON PREMIER EST UN MOT DE DEUX LETTRES QUI SIGNIFIE « SUR » EN ANGLAIS

MON DEUXIÈME EST UN ADJECTIF POSSESSIF FÉMININ ET SINGULIER

MON TROISIÈME EST LE NOM D'UNE VILLE OÙ SE DÉROULE LE PLUS GRAND CARNAVAL DU MONDE

MON TOUT EST LE NOM DE LA PROVINCE OÙ SE TROUVE LA VILLE DE TORONTO

RÉPONSE : ON-TA-RIO (ONTARIO)

SURVOL

Une dragouille vient de survoler cette étrange forme.

DEVINE DE QUOI IL S'AGIT.

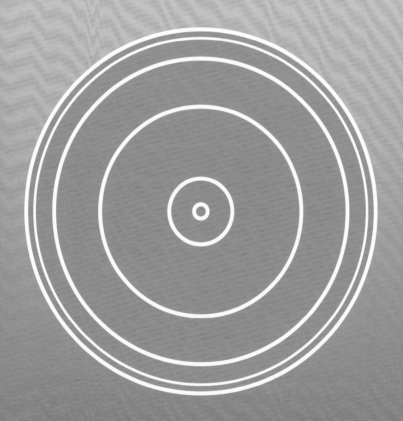

LE défi de la geek

Peux-tu faire sourire un billet de banque?

Pour relever le défi, il te faut :

— 1 billet de banque sur lequel se trouve un visage.

DEMANDE À TES PARENTS DE TE PRÊTER UN BILLET SUR LEQUEL SE TROUVE UN VISAGE.

Rassure-les tout de suite en leur disant qu'ils en reverront bientôt la couleur.

Prends ton billet et commence par saluer le personnage qu'on y voit. Ne lui en veux pas s'il ne te répond pas, il est un peu timide. Raconte-lui maintenant une blague de dragouilles. Il ne rit toujours pas? Même pas un petit sourire? Ah là, ce n'est pas normal.

COMMENT FAIRE ?

1 Plie le billet à la verticale, vis-à-vis le centre de la pupille de l'œil.

2 Refais la même chose sur l'autre œil.

Si tu inclines le billet de banque vers le bas, le personnage n'a pas l'air très content. On dirait même qu'il boude. Vite! Incline-le vers le haut, il te fera alors un beau sourire.

GRANDIOSE !

PAR-DELÀ LES GRATTE-CIEL, LES TOURS DE VERRE ET L'AGITATION DU CENTRE-VILLE DE TORONTO SE TROUVE UN TRÈS BEAU CHÂTEAU, JUCHÉ SUR UNE COLLINE.

Sir Henry Pellatt, un riche financier de Toronto, s'est inspiré des châteaux d'Europe pour faire construire le sien. Afin de réaliser son rêve d'enfance, il a choisi d'édifier son château sur la colline de Davenport d'où la vue sur Toronto et le lac Ontario est imprenable. C'est pour cela que lui et sa femme, Mary, ont nommé leur château Casa Loma, ce qui signifie « maison sur la colline ».

Avec un bon entraîneur, il pourrait même devenir un château fort !

La construction a duré de 1911 à 1914. Elle a nécessité le travail de 300 hommes. Un chantier colossal ! La Casa Loma compte 98 pièces. Elle comprend, entre autres, 30 salles de bains, 25 foyers, 2 tours, des tourelles, des écuries, des passages secrets, des tunnels et de magnifiques jardins.

Sir Henry Pellatt tenait à ce que les commodités de son château soient ultramodernes. Il a donc fait installer l'électricité dans tout le bâtiment. Un chauffage central rendait aussi chacune des pièces très confortable. Dans le jardin d'hiver, des tuyaux à vapeur permettaient même de garder les fleurs au chaud pendant la saison froide. Les salles de bains étaient équipées de baignoires, mais aussi de douches, ce qui était moins commun à l'époque.

Monsieur et madame Pellatt avaient chacun leur chambre. Ce n'est pas parce que l'un d'eux ronflait, mais plutôt parce qu'en ce temps-là il paraissait plus prestigieux de faire chambre à part. Malheureusement pour ce couple, la vie de château n'aura duré que 10 ans. Des ennuis financiers ont obligé les Pellatt à se départir de leur palais.

Aujourd'hui, la Casa Loma fait partie des attractions touristiques de la ville de Toronto. Elle est particulièrement chouette à visiter dans le temps des fêtes alors qu'elle est superbement décorée.

La Casa Loma a servi de lieu de tournage pour de nombreux films comme *Chicago*, un des *X-Men* et *Scott Pilgrim*. Ce dernier a été inspiré des bandes dessinées de l'auteur canadien Bryan Lee O'Malley.

Le cuistot

Plus qu'une seule étape et ce gâteau sera prêt à servir.

Qui veut une part de gâteau renversé aux ananas ?

Cette gargouille se trouve sur la façade de l'ancien hôtel de ville de Toronto.

Par ici
Les gourmands

PAS TRÈS AGRÉABLE D'AVOIR L'ESTOMAC DANS LES TALONS. POUR COMBLER UN CREUX, RIEN DE MIEUX QU'UN PETIT TOUR AU ST. LAWRENCE MARKET.

Le St. Lawrence Market est le plus grand marché couvert de Toronto. Il fait partie des lieux incontournables à visiter dans cette ville. Tous tes sens seront mis en éveil devant les étalages de fruits, légumes, fromages, viandes et poissons. Tu pourras aussi découvrir différentes spécialités locales et déguster d'alléchantes sucreries.

Les samedis matin d'été au marché sont particulièrement animés. En plus d'une visite gastronomique, tu feras du même coup une promenade historique. Le marché est situé dans un quartier qui était autrefois le centre-ville de Toronto. Tu seras charmé par les façades des vieilles maisons. Ne manque pas d'admirer le Gooderham Building, tout près, dont la forme triangulaire est surprenante.

REVENONS À NOS CHAUDRONS...

Ne quitte pas le St. Lawrence Market sans avoir goûté au célèbre et traditionnel sandwich au *peameal bacon*. Le *peameal* est fait de longe de porc saumurée (trempée dans une solution salée), enrobée de farine de maïs. À l'origine, on utilisait de la farine de pois, ce qui explique le nom de *peameal*.

Dans la seconde moitié du XIXe siècle, l'Angleterre importait du porc du Canada. Il fallait absolument trouver une façon de conserver la viande pendant tout ce long voyage. C'est ainsi que le *peameal* a vu le jour.

Avant de mordre à pleines dents dans ton sandwich typiquement torontois, n'oublie pas de le garnir de moutarde au miel.

C'est vraiment mieleur...
Oups, meilleur !

PLAISIR SUCRÉ

PSST! PSST! APPROCHE UN PEU. DANS QUELQUES SECONDES, UN DES SECRETS LES MIEUX GARDÉS DE LA GASTRONOMIE CANADIENNE TE SERA RÉVÉLÉ.

Les tartelettes au beurre ou *butter tarts* sont considérées comme une pâtisserie traditionnelle de l'Ontario. Tu pourras assurément en déguster à Toronto. Gare à toi! Une fois que tu y auras goûté, tu ne pourras plus t'en passer. Il y a aussi fort à parier que ce délice sucré deviendra ton dessert préféré.

L'origine de ces délicieuses tartelettes est incertaine, mais plusieurs spécialistes affirment que ce serait les immigrants écossais et britanniques qui auraient apporté la recette avec eux. Il s'agirait même d'une des recettes les plus anciennes du Canada.

Cette pâtisserie ontarienne est au menu du Restaurant 360 de la Tour CN. Comme quoi ce dessert est vraiment à la hauteur!

Recette (donne 12 tartelettes)

Certains ingrédients peuvent varier. Les tartelettes au beurre peuvent, entre autres, contenir des raisins secs, des pacanes ou des noix de Grenoble. C'est une question de goût ou de tradition familiale.

IL TE FAUT :

- 80 ml (1/3 tasse) de beurre
- 250 ml (1 tasse) de cassonade
- 15 ml (1 c. à soupe) de lait
- 1 œuf
- 2,5 ml (1/2 c. à thé) de vanille
- 60 ml (1/4 tasse) de raisins de Corinthe
- 12 fonds de tartelettes du commerce

1. Fais chauffer le four à 190 °C (375 °F).

2. Ébouillante les raisins de Corinthe et mets-les de côté.

3. Défais le beurre en crème à l'aide d'une mixette.

4. Incorpore la cassonade en trois fois et continue à battre après chaque ajout.

5. Verse ensuite le lait et malaxe de nouveau.

6. Ajoute l'œuf et mélange bien.

7. Verse la vanille, ajoute les raisins égouttés et mélange le tout avec une cuillère.

8. Remplis aux 3/4 les fonds de tartelettes.

9. Fais cuire au four à 190 °C (375 °F) pendant 10 minutes, puis baisse la température à 180 °C (350 °F). Continue la cuisson pendant 20 minutes.

Laisse tes tartelettes refroidir un peu, mais n'attends pas trop avant d'en croquer une. Tièdes, elles sont vraiment délicieuses !

LA REBELLE

Légende d'un jour

TELLE UNE FUSÉE EN PLEIN DÉCOLLAGE, TU T'ÉLANCES SUR LA GLACE, TU PATINES, TU DÉJOUES TON ADVERSAIRE, TU LANCES LA RONDELLE... ET C'EST LE BUT ! GRÂCE À TOI, TON ÉQUIPE VIENT DE REMPORTER LA COUPE STANLEY !

Oups ! Tu dormais. Zut ! Tu rêvais.

Pour rendre ton réveil moins brutal, dirige-toi rapidement au Temple de la renommée du hockey de Toronto. Ton rêve pourra ainsi devenir presque réalité.

Situé à l'angle des rues Yonge et Front, le Temple de la renommée du hockey veut rendre hommage à tous ceux qui ont contribué à l'essor du hockey, le sport national du Canada. On y recueille, préserve et présente une multitude d'objets, d'images et de vidéos qui ont marqué l'histoire de ce sport.

Chaque année, jusqu'à trois joueurs sont intronisés et deviennent ainsi des membres honorés du Temple de la renommée du hockey. Ils sont choisis pour leur talent, leur personnalité et la contribution qu'ils ont apportée à leur équipe et à ce sport. Même les arbitres peuvent recevoir cet honneur. Lors de ta visite, en plus d'en apprendre davantage sur tous ceux qui font partie du Panthéon du hockey, tu pourras voir et toucher la célèbre coupe Stanley. Ne rate surtout pas l'occasion de te prendre en photo avec elle !

Moi, je connais la façon la plus simple de faire son entrée au Temple de la renommée du hockey.

Au Panthéon du hockey, même les murs racontent des histoires. En effet, plus de 30 masques de gardiens de but y sont accrochés ainsi que 1 300 rondelles. Mais ce n'est pas tout! Laisse l'amateur de hockey en toi s'exprimer et amuse-toi à décrire quelques-unes des parties les plus marquantes de l'histoire. Saute sur la glace, lance la rondelle vers de véritables gardiens ou bloque les tirs de joueurs légendaires comme Wayne Gretzky.

Tu te sens fébrile, tu as le front chaud et des sueurs froides? Ne t'inquiète pas. Tu viens simplement d'attraper la fièvre du hockey.

Le poil
de la bête

L'ÉCUREUIL GRIS EST UNE ESPÈCE DE RONGEUR DONT LE PELAGE PEUT TOUT AUSSI BIEN ÊTRE NOIR, BRUN OU BLANC.

En d'autres mots, tu peux croiser dans un parc un écureuil gris, pas gris. Suis-tu toujours?

TOUFFU TOUT FLAMME

À Toronto, tu verras plusieurs écureuils au manteau noir grimper aux arbres. Ces animaux sont possiblement mieux adaptés aux régions froides, car leur fourrure noire absorbe davantage les rayons du soleil. Ils ont, pour ainsi dire, un pelage aux propriétés autochauffantes!

N'ajustez pas votre appareil. Je suis gris, mais blanc en même temps!

ÉTRANGES VOISINS

Depuis bien longtemps, les gens qui habitent aux alentours du parc Trinity Bellwoods, près du centre-ville de Toronto, observent la présence d'écureuils très rares. En effet, ils ont le pelage blanc et les yeux rouges. Il s'agit d'écureuils gris albinos.

Ces curieux petits rongeurs sont devenus une véritable attraction! Les gens viennent de loin pour tenter d'en apercevoir un. L'écureuil gris albinos est même devenu le symbole du quartier Trinity Bellwoods. En face du parc, tu trouveras un café qui porte le nom de *White Squirrel* («écureuil blanc») et pas très loin tu pourras aussi emprunter la White Squirrel Way.

UNE VEDETTE

Depuis quelque temps, les résidents du quartier avaient pris en affection l'un de ces spécimens rares. Le populaire animal avait même son propre compte Twitter. Lorsque cet écureuil a été retrouvé mort, tout le quartier a eu du chagrin. Cette triste nouvelle a même été annoncée à la télévision!

Heureusement, il n'était pas le seul écureuil albinos à fréquenter ce parc. Un de ses compères a déjà été aperçu dans les environs!

Hé, la rebelle! Que fais-tu sur le banc des punitions? La partie n'est même pas commencée.

Bah, c'est aussi bien que j'y sois déjà. Je finis toujours ici de toute façon.

AU REVOIR

Voilà la fin d'un bon coup de circuit des dragouilles. La balle est dans votre camp, il ne vous reste plus qu'à choisir votre prochaine destination !

En attendant, n'oubliez pas de lever les yeux vers le ciel de temps en temps. On ne sait jamais qui pourrait être en train de vous observer.

GLOSSAIRE

Archipel : ensemble d'îles.

Artéfact : objet façonné par l'homme.

Autoportant : qui n'a pas de support.

Compère : partenaire.

Habitacle : espace réservé aux occupants.

Labeur : travail pénible et prolongé.

LES CRITIQUES SONT UNANIMES...

**« TELLEMENT BON QUE
J'EN FERAIS DES PROVISIONS ! »**
- UN ÉCUREUIL ALBINOS

« J'EN SUIS TOUTE É-TOUR-DIE ! »
- CHARLOTTE, GUIDE À LA TOUR CN

**« LE SEUL LIVRE QUE
J'APPORTERAIS SUR
UNE ÎLE PAS DÉSERTE. »**
- MIREILLE, GRANDE NAVIGATRICE

**« MEILLEUR ET PLUS COLLANT
QUE LE SIROP D'ÉRABLE. »**
- VIVIANE, UNE GOURMANDE

**« CE LIVRE MARQUE PLUSIEURS
POINTS INTÉRESSANTS ! »**
- MATHIEU L., UN FAN DES MAPLE LEAFS DE TORONTO

VIENS NOUS VOIR
en ligne!

**BLOGUE, JEUX, IMAGES À COLORIER,
FONDS D'ÉCRAN, AVATARS, ETC.**

LESDRAGOUILLES.COM

LES ORIGINES

MONTRÉAL

PARIS

TOKYO

DAKAR

SYDNEY

NEW YORK

BARCELONE

NEW DELHI

TUNIS

AUCKLAND

RIO DE JANEIRO

REYKJAVIK

BEIJING

JOHANNESBURG

TORONTO

Les données de catalogage sont disponibles auprès de Bibliothèque et Archives nationales du Québec et de Bibliothèque et Archives Canada.

La publication de cet ouvrage a été réalisée grâce au soutien financier du Conseil des Arts du Canada et de la SODEC. De plus, les Éditions Michel Quintin reconnaissent l'aide financière du gouvernement du Canada par l'entremise du Fonds du livre du Canada pour leurs activités d'édition.

Gouvernement du Québec – Programme de crédit d'impôt pour l'édition de livres – Gestion SODEC

ISBN 978-2-89762-091-2

Dépôt légal – Bibliothèque et Archives nationales du Québec, 2016
Dépôt légal – Bibliothèque et Archives Canada, 2016

Éditions Michel Quintin
4770, rue Foster, Waterloo (Québec)
Canada J0E 2N0
Tél.: 450 539-3774
Téléc.: 450 539-4905
editionsmichelquintin.ca

16 - A P E - 1

Imprimé en Chine